Koen Kampioen

Avontuur bij FC

de Bibliotheek

Breda West

Actuele informatie over Kluitmanboeken
kun je vinden op kluitmankinderboeken.nl

Koen Kampioen

Avontuur bij FC Top

Fred Diks

4e druk

tekeningen
ivan & ilia

Voor Miranda, Ydwine en Alle

LEES N!VEAU

		ME	ME	ME	ME	ME	ME	
AVI	S	3	4	5	6	7		P
CLIB	S	3	4	5	6	7	8	P

Voetbal

Toegekend door Cito i.s.m. KPC Groep

Nur 282/GGP101204
© Uitgeverij Kluitman Alkmaar B.V.
© Tekst: Fred Diks
© Illustraties: ivan & ilia
Omslagontwerp: Design Team Kluitman

kluitmankinderboeken.nl
koenkampioen.nl
freddiks.nl

Koen tentkampioen

„Hé. Kijk uit!" Koen staat op het hoofdveld van
FC Top. Het is vrijdag na school. Met zijn team
zet hij een grote tent op.

Zijn vriend Niels staat naast hem. Die heeft de
tentstok losgelaten. Het doek van de tent valt
boven op Koens hoofd.

Wild zwaait Koen met zijn armen. „Ik zie
niks!" roept hij. „Waar ben ik?"

„Op het voetbalveld. Weet je dat niet meer?"
Niels schiet in de lach. „Je lijkt wel een spook."

„Een blind spook zeker," moppert Koen. Hij
rukt het doek van zijn hoofd.

Koen gaat met zijn team en nog een ander
team kamperen bij FC Top. Dat heeft zijn trainer
Broekie bedacht, samen met zijn vriend Robbert.
Dat is de trainer van het andere team. Morgen
is er ook nog een toernooi.

Koen heeft er veel zin in. „Hoe gaat het
morgen precies?" vraagt hij.

„Robbert en ik hebben voor het toernooi twee

gemixte teams gemaakt van de pupillen van FC Top. Dan leren jullie goed om ook met anderen samen te spelen," legt Broekie uit. „Morgen komen er nog drie andere ploegen bij. De vijf teams spelen ieder een keer tegen elkaar. De winnaar krijgt een mooie beker."

Koen straalt. „Wauw!"

Broekie helpt mee met de tenten. De trainer wijst naar Koen en drie anderen. „Houden jullie de tent aan die kant vast? Dan trek ik hem aan deze kant overeind."

Koen is blij dat hij geen blind spook meer is. „Gelukkig kan ik weer wat zien."

Broekie lacht. „Ik hoop niet dat er nog meer fout gaat."

„Zoals?" vraagt Renske.

Broekie kijkt geheimzinnig. „Wie weet, komt er vannacht wel een bende dieven…"

„Hè bah, Broekie." Renske schrikt. „Straks ga ik naar huis, hoor!"

„Tuurlijk niet," roept Aukje. „Broekie wil ons bang maken. Maar daar trap ik mooi niet in."

„Zo is dat," zegt Koen. „Voor boeven ben ik heus niet bang. Ik heb een zaklamp bij me. Als er eentje op me afkomt, sla ik hem zo een blauw oog."

„Wauw. Durf je dat?" Renske krijgt pretoogjes. „Wat stoer dat je me wilt helpen, Koen Kampioen."

Dat is de bijnaam van Koen, omdat hij zo vaak scoort.

Broekie klopt Renske op haar schouder. „Het was maar een grap, hoor. Er gebeurt niets engs. Daar zorg ik wel voor."

„Gelukkig." Renske is opgelucht. „Wat gaan we allemaal doen?"

Broekie haalt een papiertje uit zijn broekzak. „Even kijken. Als de tenten staan, gaan we aan tafel. Frank zorgt voor eten en fris. Daarna gaan we spelletjes doen. En dan…" Broekie kijkt heel geheimzinnig. „Ik verklap nog niet wat we vanavond doen. Morgen breken we de tenten weer af. Anders kunnen we niet voetballen."

Koen wrijft in zijn handen. „Het wordt vast een vet cool weekend."

„Dat denk ik ook! Maar eerst zetten we de tenten verder op." Broekie wijst naar Tarkan. „Pak jij de haringen even?"

Tarkan is verbaasd. „De haringen? Ik kwam net langs de viswinkel. Maar ik wist niet dat ik haringen mee moest nemen."

„Nee nee." Broekie schudt zijn hoofd. „Suffie. Niet zulke haringen. Ik bedoel die ijzeren pinnen." Hij wijst naar de tentzak op de grond. „Kijk, daar. Die haringen sla je met een hamer in de grond. Daarna maak je een touw vast aan de paal en de haring. Dan trek je het touw strak. Zo valt de tent niet om."

„O." Tarkan weet niet veel van tenten. Zij gaan thuis altijd met de caravan op vakantie. Tarkan maakt de zak open en schudt de haringen eruit. Ook vallen er twee hamers op de grond.

„Vet. Mag ik helpen?" vraagt Koen. „Ik wil ook wel haringen de grond in slaan."

„Is dat wel een goed idee?" vraagt Broekie zich af.

„Tuurlijk. Ik ben heel handig."

„Goed dan. Jij je zin," zucht Broekie.

Koen spuugt stoer in zijn handen. Hij pakt de hamer. Met drie klappen slaat hij een haring in de grond. Dan trekt hij het touw er omheen. „Zo. Dat ziet er strak uit," zegt hij trots.

De twee meisjes slaan Koen op zijn schouder.

„Knap, hoor!" vindt Aukje.

„Nu kunnen we je ook Koen tentkampioen noemen," bedenkt Renske.

Snel pakt Koen nog een haring. Hij kijkt vrolijk omhoog. Daardoor let hij niet goed op. „Au!" Hij slaat met de hamer op zijn duim.

Koens gezicht wordt bleek. Wild schudt hij met zijn duim heen en weer.

„O, nee toch? Kun je morgen wel meespelen?" vraagt Renske zich af.

„Tuurlijk," zegt Koen. „Er is toch niks mis met mijn voeten?" Hij bekijkt zijn duim en zucht. „Wat lijk ik toch op mijn vader."

„Hoezo dan?" vraagt Aukje.

„Pap wilde een keer een spijker in de muur slaan. Daar kon ik een medaille aan ophangen. Toen sloeg hij ook op zijn duim."

„Ai. Dat doet pijn," zegt doelman Gijs.

„Ja, hij baalde vet. Maar mijn moeder nog meer. Die moet steeds weer nieuw verband kopen."

Een concert voor Broekie en Robbert

Als de twee tenten staan, gaat Broekie met
Koen naar de kleedkamer. „Hou je duim maar
even onder de kraan."

Koen draait de kraan open. Hij houdt zijn duim
onder het stromende water.

„Anders wordt hij dik," zegt Broekie. „En dat
is vannacht zo lastig."

„Hè?" Koen snapt niet wat Broekie bedoelt.

„Dan kun je de boeven geen klap met je
zaklamp geven."

Koen lacht. „Wat gaan we nou doen
vanavond? Ik vertel het niet aan de rest."

Maar de trainer laat zich niet ompraten. Hij
perst zijn lippen stijf op elkaar.

Even later gaat iedereen naar de kantine.

Kantinebaas Frank bakt in de keuken
aardappels. Hij heeft twee lange tafels gedekt.
Daaraan gaan de teams van Broekie en Robbert
zitten.

Het ziet er vrolijk uit. Frank zet bakken salade neer. „Jullie moeten gezond eten. Anders heb je morgen bij het toernooi geen energie."

„Ik ben benieuwd in welk team ik kom," zegt Koen. „Ga je de teams echt door elkaar husselen?"

Broekie knikt. „Ik heb al een indeling gemaakt. Zorg maar dat je met je nieuwe ploeggenoten een goed team vormt. Daar leren jullie van."

Op de hoek van de tafel zitten Kay en Sem, twee jongens uit Robberts team. Koen ziet dat ze een brief lezen. Ze kijken even zijn kant uit.

Voorzitter Waser komt ook een kijkje nemen in de kantine. Hij helpt met het opscheppen van het eten. „Jullie boffen maar met zulke trainers," vindt de voorzitter. „Broekie en Robbert bedenken altijd iets leuks."

Koens team is het daar mee eens. „Broekie bedankt," zingt de hele ploeg. Ze slaan met het bestek op tafel.

Het andere team zingt hard voor Robbert.

Het wordt een vals concert.

Broekie drukt zijn handen tegen zijn oren. Hij
trekt een gek gezicht.

„Dank jullie wel," lachen Robbert en Broekie
als de teams zijn uitgezongen. „Het was
prachtig!"

Broekie praat verder. „Ik hoop dat niemand
last krijgt van heimwee. Anders moet ik jullie
vannacht naar huis brengen."

Frank lacht. „Je mag mijn auto wel lenen."

„Nee hoor," zegt Koen stoer. „We blijven
hier."

Na het eten pakt Koen een bal. Hij gaat met
Tarkan en Renske hooghouden.

Kay kijkt van een afstandje toe.

Het lukt Koen om de bal dertig keer hoog te houden.

„Echt knap," glundert Renske.

Kay haalt zijn neus op. „Makkie. Ik kan het wel honderd keer."

„O ja?" zegt Tarkan. „Dat wil ik wel eens zien."

Kay schudt nee. „Ik heb nu geen zin."

„Dan kun je het vast niet," zegt Renske.

Kay loopt weg. „Koen van Loon, stomme boon," zegt hij tegen zijn teamgenoten.

Koen haalt zijn schouders op en zegt niets.

Broekie en Robbert zijn intussen druk bezig. Ze zetten kleine doeltjes op de andere helft van het veld. Ook leggen ze ballen en pionnen klaar.

„Kom maar deze kant op," roept Broekie. „We beginnen met de spelletjes. Eerst maken we groepjes van zes."

„Oooh," zegt Renske. „Mag ik bij Koen?"

Broekie haalt zijn schouders op. „Helaas. Koen zit bij Gijs en Aukje. En van het andere team komen daar Sem, Martijn en Kay bij."

„Moet dat?" vraagt Kay.

„Ja, dat moet," meent Robbert. „Het is goed om te leren ook met anderen te spelen."

Na een poosje staat iedereen bij een spel. Koens groepje speelt eerst drie tegen drie op een klein veldje.

„Ik ga bij Sem en Martijn," zegt Kay stoer. „We maken jullie in."

„Kom maar op," zegt Koen.

Sem trapt af. Hij schiet de bal naar Kay. Die rent snel op het doel af. Maar Aukje zet een sliding in. Daardoor komt de bal bij Koen. Hij schiet meteen op doel. „Yes, 1-0!"

Het groepje van Koen wint met gemak. Het wordt 5-0. Koen maakt drie goals en Gijs en Aukje ieder één.

„Dat belooft wat voor morgen," zegt Aukje. „Hopelijk scoren we dan ook zo veel."

„Als we dan bij elkaar in een team zitten," zegt Koen. „Dat weten we nog niet."

Kay kan niet goed tegen zijn verlies. „Stomme Koen oen."

Koen trekt zich er niets van aan.

Maar Aukje wel. „Hou toch eens op met dat gescheld," zegt ze.

„Heb jij het tegen mij?" Kay gaat dreigend voor Aukje staan. Hij balt zijn vuisten. „Kom maar op," briest hij.

„Oké. Denk je soms dat ik bang ben?" Aukje kijkt kwaad.

Koen en Gijs komen er snel tussen.

„Als je Aukje wilt slaan, krijg je eerst met ons te maken," roept Koen.

„Dat is goed," buldert Kay. Hij rent op Koen en Niels af. Wild zwaait hij met zijn vuisten.

Hij haalt uit naar Koen, maar die bukt net op tijd.

Broekie en Robbert zien wat er gebeurt. Ze komen eraan hollen.

„Hé! Kappen!" roept Robbert. Hij neemt Kay mee naar de tent, waar hij een hartig woordje met hem spreekt.

„Pfff," zucht Koen. Zo is er niks aan, denkt hij.

Toch probeert Koen te genieten van alle spelletjes. Hij dribbelt zo snel als hij kan om een rij pionnen heen. Daarna mag Koens ploeg op doel schieten. Zo vaak mogelijk in twee minuten.

Als de spelletjes zijn afgelopen, spelen ze nog een grote partij. Het team van Broekie tegen dat van Robbert.

In het begin gaat het gelijk op. Het blijft lang 0-0. Totdat Tarkan de bal hard naar voren trapt. Koen rent er achteraan. Hij laat de bal een keer stuiteren en raakt hem dan hard met zijn wreef.

„Doelpunt!" Koen juicht. Hij rent op zijn

ploeggenoten af. Ze vieren samen een feestje.
Iedereen trekt de onderkant van z'n shirt over
het hoofd. Als zoemende vliegtuigjes rennen ze
over het veld.

Kay wordt boos. Hij trekt een graspol uit de
grond en smijt die naar Koen. De graspol mist
hem maar net. Koen ziet het niet. Zijn shirt zit
nog over zijn hoofd.

Al snel krijgt Koen weer de bal. Kay rent op
hem af om de bal af te pakken. Hij schopt hard
tegen Koens enkel.

„Au!" Koen rolt over het veld. Hij grijpt naar

zijn been. Boos kijkt hij omhoog. „Waar slaat dat op!" roept hij.

Kay moet voor straf vijf minuten naar de kant. Hij kijkt kwaad naar Koen, die hinkend het veld af gaat.

Met z'n allen in de vrachtauto

Na de wedstrijd zit iedereen bij de tenten.

Koen heeft zijn voet in een emmer water. De pijn wordt gelukkig al wat minder. Hij is erg benieuwd. „Wat is die verrassing nou?" wil Koen van Broekie weten. „Spelen we nog een wedstrijd? Nee, toch? Dan kan ik niet meedoen."

„Nee," zegt Broekie. Hij kijkt op zijn horloge. „Wacht nog maar even af."

Opeens roept Aukje: „Kijk wat daar aankomt. Een grote vrachtauto."

„Wat doet die hier?" vraagt Koen.

„Die vrachtauto is de verrassing," lacht Broekie.

Hij en Robbert kijken trots naar de grote wagen die bij het sportpark parkeert.

„Mooi. Krijgen we rijles?" wil Tarkan weten. „Dan kunnen we straks lekker over het veld crossen. Echt vet."

„Nee," legt Robbert uit. „We gaan vanavond

een dropping houden."

Het water loopt Gijs in de mond. „Drop? Daar heb ik wel zin in!"

Broekie schiet in de lach. „Nee. Jullie gaan met z'n allen achter in de vrachtauto. Over een half uur wordt het donker. De vrachtauto dropt jullie in een bos. Daarom heet het een dropping."

Renske denkt na. „Maar hoe komen we dan terug?"

„Dat zoeken jullie zelf maar uit," lacht Broekie.

„Maar straks verdwalen we," vreest Tarkan.

„Daarom hebben we af en toe een bord met een pijl erop in de grond gestoken," verklapt Robbert. „Als je niet meer weet waar je bent, volg je de pijlen."

„Wel spannend," vindt Renske.

Koen glundert. „Een dropping lijkt me echt vet."

Even later zit iedereen achter in de vrachtauto. Het is er erg donker.

Renske kruipt knus tegen Koen aan. „Vind je toch wel goed, hè?"

„Ja," fluistert Koen. Hij wordt vuurrood, maar dat
ziet toch niemand.

Het team van Kay maakt enge geluiden. Maar
Koen wordt daar echt niet bang van.

Na een hele tijd stopt de vrachtauto.

Broekie doet de klep aan de achterkant open.
„Zo. Spring er maar uit. Veel succes," zegt hij. „Ik
hoop dat jullie voor morgen terug zijn bij FC Top.
Anders gaat het toernooi niet door."

„Wat?" reageert Aukje fel. „Duurt die dropping
zo lang?"

Koen schiet in de lach. „Welnee. Broekie maakt
een grapje. We zijn vast binnen een uur weer
terug. Tenminste, als we niet verdwalen."

Kay wil met zijn eigen ploeg gaan lopen.

„Is prima," vindt Koen. „Dan gaan wij met ons team." Hij heeft geen idee waar ze zijn. „Het is maar goed dat ik een zaklamp bij me heb. Zo zien we in ieder geval waar we lopen."

„Wij gaan eerst," bromt Kay. „Na vijf minuten mogen jullie."

„Best," zegt Niels.

„Kijk eens wat ik heb," zegt Sem tegen de rest van zijn groep als ze op pad gaan. „Een coole armband."

Kay en Martijn bekijken de knaloranje armband.

„Is die nieuw?" vraagt Martijn.

Sem knikt. „Heb ik van mijn vader gekregen. Hij geeft licht in het donker."

Martijn kijkt zijn vriend bewonderend aan. „Wat stoer."

Fladderende vleermuizen

Kays groepje loopt het bos in. Het wordt al donker.

„Ik vind er niks aan," moppert Kay. „Meteen bij het begin staat er al een pijl. Deze dropping kun je zelfs met je ogen dicht lopen."

Na vijf minuten start Koens groepje. Ook zij zien al snel een bord met een pijl.

„Ha, mooi," zegt Koen. „De pijl wijst naar rechts. Kom mee."

„Hm, het is best makkelijk," meent Niels.

Maar na een kwartier slaat de twijfel toe.

„Lopen we nog wel goed?" vraagt Renske. „Ik zie geen pijlen meer."

Koen haalt zijn schouders op. „Ik weet het niet. Het is wel raar."

Ze lopen verder het bos in. Het pad wordt steeds smaller. Koen schijnt met de zaklamp om zich heen. „Ik herken niets," zegt hij.

„We zijn verdwaald," vreest Tarkan. „Er staan

nergens bordjes meer. Weet jij de weg terug,
Koen?"

Koen haalt zijn schouders op. Hij wijst met de
zaklamp naar voren. „Ik zie alleen maar bomen.
Ik ben hier nog nooit geweest."

„Jakkes. Ik voel iets," roept Renske opeens.
Haar hart begint sneller te kloppen. „Gatsie!"
gilt ze. „Help! Iets valt me aan!"

Koen ziet dat er vleermuizen om haar heen
fladderen.

„Ik wil dit bos uit. Ik ben bang!"

Koen slaat een arm om haar heen. „Het zijn vleermuizen. Die doen niets. Als we heel stil zijn, horen we misschien het groepje van Kay. Dan lopen we in de richting van het geluid."

Maar het enige wat ze horen, zijn uilen en andere dieren die aan het jagen zijn.

„Ik weet het ook niet meer," geeft Koen toe.

„Wat een stomme dropping," bromt Aukje. „Waar zijn al die bordjes? Er stond er maar één."

Koen wijst met zijn zaklamp. „Volgens mij is daar een weg. Kom, we gaan die kant op."

Opeens horen ze een harde knal.

„Help!" gilt Renske. Ze grijpt de hand van Koen stevig vast.

„Wat was dat?" vraagt Aukje.

„Het leek wel een geweer," denkt Koen.

Tarkan bibbert. „Echt waar? O jee."

„Stel je niet aan," zegt Aukje stoer.

Weer klinkt er een knal door het bos.

Renske moet huilen. „Ik vind het echt niet leuk meer. Straks zijn er enge mannen in het bos.

Wat moeten we nu doen, Koen?"

Die denkt diep na. „We moeten zorgen dat de boeven ons niet zien. Eens kijken of we bij de weg kunnen komen." Hij duwt wat takken opzij. Zo baant hij zich een weg door het bos.

De rest van het groepje volgt hem.

Renske knijpt in Koens hand. „Ik ben bang," fluistert ze.

„Dat hoeft echt niet," zegt Koen zacht. „Er is niets aan de hand. Hou me maar goed vast."

Maar dan horen ze weer een geluid. Krak!

„Wat nu weer?" zucht Renske. Ze veegt met haar mouw de tranen weg.

„Sorry," zegt Aukje. „Ik trapte per ongeluk op een tak."

In de verte zien ze twee schimmen. Het lijken twee mannen. Ze fluisteren met elkaar.

Vlug doet Koen de zaklamp uit.

„Jakkes." Tarkan kan zijn ogen niet geloven. „Zie je dat? Ze hebben een geweer bij zich."

„Ssst," sist Koen. „We moeten fluisteren. Anders horen ze ons."

Renske rilt. „Zijn het dieven?"

Koen schudt nee. „Ik denk dat het stropers zijn."

Weer klinkt er een schot en daarna nog een.

Koens groepje gaat languit op de grond liggen.

„Nog twee hazen erbij," lacht een van de mannen.

De twee jagers staan zo'n dertig meter bij hen vandaan.

„Wat nu, Koen?" vraagt Renske zacht.

Koen voelt zijn hart bonzen. Net op tijd krijgt hij een idee. Hij staat op en doet de zware stem van zijn vader na. „Halt, politie! Hebben jullie een vergunning om te jagen?"

„Wegwezen," roept een jager.

Meteen horen ze de twee mannen weghollen.

„Mooi zo. Die zijn we kwijt." Koen haalt opgelucht adem.

Een kwartier later zijn ze eindelijk bij een weg.

„Welke kant moeten we nu op?" vraagt Renske. „Ik snap niet dat we nog steeds geen pijlen zien. Straks zijn we morgen veel te moe. Dan vallen we tijdens het toernooi in slaap."

„Dat zal wel meevallen. Als er een auto aankomt, vragen we de weg," stelt Koen voor. Hij loopt voorop in de berm.

Na een poos zien ze eindelijk het licht van koplampen.

Koen begint wild met zijn zaklamp te zwaaien.

„Niet doen," roept Aukje. „Je mag nooit bij vreemde mensen in de auto stappen."

„Ik vraag alleen de weg. Dat kan toch wel?"
vindt Koen.

Daar is de rest van de groep het mee eens.

„Hé," zegt Koen verbaasd. „Ik zie vier
koplampen."

„Dus komen er twee auto's aan, slimpie,"
lacht Niels.

Even later stoppen de twee auto's. Het zijn
Robbert en Broekie.

„Wat fijn dat jullie er zijn," zegt Renske. „Ik
wil terug naar de tent. Die dropping is stom."

„Ja. Er is denk ik iets fout gegaan," bekent
Broekie. „Jullie bleven zó lang weg. Stap maar
gauw in. Robbert en ik zoeken morgen uit wat
er precies mis is gegaan."

Een inbreker bij FC Top?

Al snel zijn ze terug bij FC Top. Koens groepje
krijgt iets lekkers om van de schrik te bekomen.
Ook spelen ze nog een spelletje. Elk groepje
mag om de beurt een beroep uitbeelden.
Iedereen ligt dubbel van het lachen als Koen
een buikdanseres nadoet. Zijn enkel voelt
gelukkig weer beter.

Na een tijdje vinden Broekie en Robbert het
genoeg.

„Kom," zegt Broekie. „We gaan naar bed.
Pyjama's aan en tandenpoetsen."

Even later zit iedereen in de tent.

„Zo. Ik zet mijn tas even goed opzij," zegt
Koen. Hij knipoogt naar Renske. „Hé, Broekie."

„Ja? Wat is er?"

Baf! Een kussen raakt hem midden in zijn
gezicht.

„Wacht maar," zegt Broekie. Hij pakt snel een
ander kussen. „Dat kan ik ook." Broekie slaat
Koen terug.

Ook de anderen van het team pakken hun kussen. Het wordt één groot gevecht. Iedereen slaat er wild op los.

Na een kwartier roept Broekie: „Stop! Nu gaan we echt slapen. Morgen moeten jullie goed uitgerust zijn."

Daar is Koen het mee eens. „Slaap lekker, Broekie," zegt hij.

Koen is zo moe dat hij meteen in slaap valt. Hij droomt over het toernooi. In een duel scoort hij drie keer. Hij trekt de rits van zijn jack naar beneden. Zijn vrienden tillen hem op hun schouders.

Opeens wordt Koen wakker. Het is midden in de nacht. Hij moet nodig plassen. Koen schudt aan Niels' arm. „Ga je met me mee naar de wc?" vraagt hij.

Maar Niels slaapt als een roos.

Ach, ik kan ook wel alleen, denkt Koen. Ik heb toch een zaklamp bij me. Hij wil de rits van de tent opendoen. Hé, wat raar. De rits is al open. Hoe kan dat nou? Koen schijnt op de andere slaapkoppen. Er is niemand weg.

Voor de tent blijft Koen even staan. Hoort hij
nou iets? Hij schijnt met zijn lamp naar de
bomen. Het waait een beetje. Daardoor ritselen
de blaadjes. Ook scheren er vleermuizen langs
de tenten. Maar goed dat Renske slaapt, denkt
hij. Die kan geen vleermuis meer zien.

Koen loopt in het donker naar de wc. Hij vindt
het best eng. Als er maar geen boeven op de
wc zijn, hoopt hij. Misschien zijn die stropers er
wel. Hebben ze ontdekt dat ik niet van de
politie ben. Op zijn tenen loopt hij de wc-ruimte
in. Gelukkig. Er is niemand.

Als Koen heeft geplast, wast hij zijn handen.
Dan blijft hij verstijfd staan. Voetstappen! Wat
nu? Koen houdt zijn adem in. De stappen
worden steeds luider. Er is vast een inbreker!
Koen loopt zachtjes terug de wc-ruimte in. Er
zijn drie wc's. Ik ga in de laatste en doe de deur
niet op slot. Anders kan de boef aan het rode
slot zien dat ik op de wc zit, denkt Koen slim.
Hij voelt zijn hart kloppen. Wat wil die boef van

mij? Ik heb geen geld bij me. Het klamme zweet
breekt hem uit. Hij hoort aan de voetstappen
dat de man in de wc-ruimte is.

De boef duwt de eerste deur open. O nee,
denkt Koen. Hij komt steeds dichterbij. En ik
heb nog wel tegen Renske gezegd dat ik niet
bang ben voor dieven. Ik wou dat die engerd
wegging. Of is het soms Kay? Misschien wil die
me wel bang maken.

Koen hoort de tweede deur open gaan. Hij zit
op het deksel van de wc. Nog even en dan ben
ik erbij, denkt hij.

Koen durft niet te kijken.
Hij slaat zijn handen voor
zijn ogen. Hij hoort dat de
boef voor zijn deur gaat
staan. De deur wordt
open geduwd.

„Koen?" vraagt iemand.

Koen kijkt en ziet Broekie
voor hem staan. Hij zucht en
haalt opgelucht adem. „Broekie?

Wat doe jij hier?"

„Ik hoorde iets. Dus ben ik gaan kijken. Als trainer moet ik zorgen dat er niets engs gebeurt."

Koen geeft Broekie de vijf. „Wat ben ik blij dat ik jou zie," geeft hij toe. „Ik was bang dat er een inbreker was."

„Die komen hier niet. Er valt toch niets te stelen?" Broekie wenkt. „Kom. We gaan weer slapen."

Samen met Broekie loopt Koen terug naar de tent. Hij voelt zich veel beter. Toch ligt hij nog even wakker. Waarom stond die rits open? Is er iemand in de tent geweest? Maar wat heeft die dan gedaan?

Paniek in de tent

De volgende dag is Frank al druk in de weer. Hij maakt het ontbijt klaar voor de twee elftallen.

Koen is ook vroeg wakker. Hij wil nog even oefenen met Niels. „Ik trek alvast mijn voetbalschoenen aan," zegt Koen. „Kan ik lekker mee trappen." Hij kijkt rond in de tent. „Hé. Wat raar. Waar is mijn tas? Ik had 'm toch daar neergezet?" wijst Koen.

Niels kijkt verbaasd. „Klopt. Die rode tas. Heeft

iemand hem verstopt? Zou hij in de andere tent staan?"

„Dat zou flauw zijn," vindt Koen. Kay zal het wel weer gedaan hebben, denkt hij.

„Laten we toch maar gaan kijken," stelt Niels voor.

Ze zoeken in de andere tent. Koens tas staat nergens.

„Hoe kan dat nou?" vraagt Koen. „Wat een ramp. Zonder mijn schoenen bak ik er niets van!"

Even later is er ook paniek in de andere tent.

Sem roept: „Kijk!" Hij laat zijn pols zien. „Mijn oranje armband is weg. Er is vannacht vast een dief geweest."

„Echt waar?" vraagt Renske. „Terwijl wij sliepen?"

Broekie schudt zijn hoofd. „Hou op met die verhalen, Sem," zegt hij. „Denk je nu echt dat er een dief komt om een armband van je pols te halen?"

Sem mokt. „Dan niet."

Koen loopt met Broekie naar de kantine. Daar vraagt hij of iemand zijn tas heeft gezien.

Iedereen schudt nee.

Koen baalt. „Wat nu, Broekie? Zonder schoenen kan ik niet meedoen."

Broekie denkt na. „Misschien heeft iemand twee paar mee. Nou ja. Laten we eerst maar ontbijten."

Frank schenkt glazen melk in. Op grote schalen liggen belegde broodjes. „Wacht," bedenkt de kantinebaas. „Ik kijk even bij de gevonden voorwerpen. Misschien liggen daar nog schoenen."

Even later komt Frank trots terug. Hij heeft twee schoenen bij zich. Ze horen alleen niet bij elkaar. „Die mag je wel aan. Kijk maar of ze passen."

„Vet," vindt Koen. Hij past de schoenen. „Mooi. Deze zit lekker." Maar de andere schoen is een maat te klein. Koen kijkt pijnlijk naar Niels. „Deze past niet." Hij wrijft over zijn tenen. „Hij knelt enorm."

„Ach, het is beter dan spelen op een slipper," vindt Niels.

Na het ontbijt breken ze vlug de tenten af.

Broekie wil de indeling van de teams voorlezen, maar hij kan het blaadje nergens vinden. „Hm, wat gek," mompelt hij. „Weet je wat? Ik nummer jullie af. Dan maken we zo nieuwe teams."

Na tien minuten kan het toernooi beginnen.

Het ziet er gezellig uit. Frank heeft grote vlaggen in de top gehesen. Ook klinken er voetballiedjes. Er zijn veel ouders. Ook de vader en moeder van Koen staan langs de lijn.

„Zet 'm op, Koen!" roept zijn vader.

Koen knikt. Hij, Aukje en Gijs zitten in een team met Martijn, Sem en Kay. Net als gisteren bij de spelletjes. Er zitten ook nog spelers uit andere teams in hun ploeg.

In de eerste wedstrijd neemt Aukje de aftrap. Zij tikt de bal naar Koen. Die speelt terug naar het middenveld. Martijn rent met de bal naar

voren en schiet weer naar Koen. Die wil
sprinten. Maar dat lukt niet goed. „Wat een
rotschoenen," moppert hij.

„Zal ik je wisselen?" vraagt Broekie.

„Nu al? De wedstrijd is net begonnen. Dat
hoeft niet. Het went vast nog wel."

Zijn moeder gebaart dat hij moet doorzetten.
Maar elke keer als Koen de bal krijgt, trekt hij
een pijnlijk gezicht. Hij schiet drie keer hoog
over het doel.

De tegenstander wordt steeds sterker. De

midvoor komt alleen voor Gijs. Hij tikt de bal in de hoek. Het is 0-1.

„Het is bijna rust," roept Broekie. „Zorg dat jullie niet meer goals tegen krijgen."

„Is goed." Koen steekt zijn duim omhoog.

Toch wordt de tegenstander nog gevaarlijk. Dezelfde spits zet Tarkan op het verkeerde been en schiet de bal tussen de benen van Gijs door. Het is al 0-2. De scheids fluit daarna meteen voor de rust. Koens team loopt teleurgesteld het veld af.

Het dak op

Koen heeft veel pijn aan zijn tenen. Balend
loopt hij naar het doel van Gijs. Hij pakt de bal
uit het net. „Waarom steelt iemand nou mijn
tas?!" Van boosheid trapt hij de bal ver weg.

„Wauw, wat kun jij hard schieten," vindt Gijs.
De bal belandt op het dak van de kantine.

„Ook dat nog," moppert Koen.

„Hé. Speel jij bij FC Bal op het Dak?" lacht de
spits van het andere team, die al twee goals
heeft gescoord.

Maar Koen reageert niet. Hij bedenkt dat het
niet erg sportief was om de bal zo weg te
trappen. „Sorry, Broekie. Ik haal de bal zelf wel
van het dak. Is er een trap in de kantine?"

Koens trainer knikt.

Even later staat Koen boven op de trap. Broekie
houdt hem goed vast.

„Yes!" gilt Koen.

Broekie is verbaasd. „Wat 'yes'?"

„Weet je wat hier ligt?" vraagt Koen.

„Ja," antwoordt Broekie. „De bal. Daarom ging je toch het dak op?"

Koen schiet in de lach. „Ik zie nog wat anders."

„Nog meer ballen?" vraagt Broekie.

„Nee," schudt Koen. „Mijn tas ligt hier ook."

Koen schopt de bal van het dak. Hij slaat zijn tas om zijn schouder en klimt de trap af.

„Mooi zo," zegt Broekie. „Kun je na rust je

eigen schoenen weer aan. Toch is het raar. Iemand moet die tas op het dak gegooid hebben, maar waarom?"

„Geen idee." Koen haalt z'n schouders op. „Maar ik heb lekker mijn schoenen weer! Wie weet, winnen we deze wedstrijd nog wel."

Broekie kijkt bedenkelijk. „Dat zal niet meevallen."

„Hé, wacht eens even." Koen ziet iets in een struik naast de kantine hangen. Hij graait in de struik en haalt er een oranje armband uit.

„Wat een toeval," zegt Broekie. „In één klap twee vermissingen opgelost. Sem is de armband zeker hier verloren." Koens trainer staart voor zich uit en schudt zijn hoofd.

„Wat is er?" vraagt Koen.

„Hier klopt iets niet. Ik ga even met Robbert praten. Ik kom zo."

Koen snapt er niets van, maar loopt snel door naar de kleedkamer. Daar zit de rest van het team. „Ik heb mijn tas terug. Cool hè," zegt Koen blij.

Kay en Sem kijken elkaar aan. Ze houden hun mond stijf dicht.

Gijs en Aukje zijn nog steeds teleurgesteld.

„We staan achter," moppert Gijs. „En we hebben nog geen goeie kans gehad."

„Straks wordt alles anders," voorspelt Koen. Hij trekt de geleende schoenen uit en pakt zijn eigen kiksen uit de tas. „Zo," zegt hij. „Dat is beter. Waar blijft Broekie nou?"

Op dat moment komt Broekie samen met Robbert de kleedkamer in. Hij slaat zijn armen over elkaar en wil beginnen met zijn praatje. Sem hangt nog even zijn broek aan het haakje. Er valt iets uit zijn zak dat hij snel van de vloer grist. Met een rood hoofd gaat hij zitten.

Broekie kijkt ernstig naar Robbert en fluistert: „Zie je wel?" Dan richt hij zich tot het team. „Ik val meteen met de deur in huis. Er zit ons iets dwars.

Er zijn rare dingen gebeurd."

Robbert vult aan. „We hadden een team-
indeling voor het toernooi gemaakt, maar die is
kwijt. Nu zien we dat diezelfde brief uit Sems
broekzak valt. Bij de dropping zijn bordjes
omgedraaid. En de tas van Koen lag zomaar
boven op het dak. Bovendien deden bepaalde
spelers erg onsportief. Dat pikken we niet. Met
dit toernooi gaat het juist om samen spelen en
samenwerken. Zorgen dat je een echt team
bent. Dus Kay en Sem, jullie doen niet meer
mee. En jullie team dus ook niet." Robbert kijkt
de twee aan.

Sem en Kay kijken naar de grond.

„Wat?" roept Koen. „Oh, toe. Mogen we
alsjeblieft doorgaan?"

Maar de twee trainers schudden nee. „Gaan
jullie je maar omkleden."

Als ze naar buiten willen lopen, staat Kay op.
„Stop! Het is onze schuld."

Sem gaat ook staan. „Toen we gisteren de
tenten opzetten, vond ik het papiertje met de

indeling. Kay en ik zagen dat we bij het toernooi tegen Koen moesten spelen. We waren bang dat we vet zouden verliezen. Koen is veel te goed."

„Ja," gaat Kay verder. „Dus spraken we af om hem te pesten. En ik heb de pijlen bij de dropping omgedraaid." Hij krijgt tranen in zijn ogen. „Dat was heel gemeen van mij."

Ook Sem moet bijna huilen. „Ik heb vannacht stiekem Koens tas op het dak gegooid. Dan kon hij niet meedoen. Ik wist niet dat Broekie een nieuwe indeling zou maken. Ik had het nooit moeten doen."

Robbert zucht. „Dat hadden jullie zeker niet moeten doen. Maar ik vind het wel fijn dat jullie nu eerlijk zijn."

„Na deze tweede helft moeten we nog drie wedstrijden. Mogen we laten zien dat we wel een echt team kunnen zijn?" vraagt Koen.
„Please, mogen we het toernooi afmaken?"
Broekie kijkt Robbert aan. Even is het stil.
„Oké, dan. Het blijft een toernooi tussen vijf

teams. Maar ik vind wel dat Sem en Kay een straf hebben verdiend."

Het tweetal knikt. „Worden we nu geschorst?"

„Nee, speel maar goed mee in je team. We bedenken nog wel wat," zegt Robbert. „Eerst gaan jullie de tweede helft spelen."

Vol goede moed begint Koens team aan de tweede helft.

Al snel heeft Koen succes. Na een uittrap van Gijs komt de bal bij Sem. Die passt op Koen.

Koen sprint naar voren. Hij komt alleen voor de keeper en haalt uit: 1-2.

„Mooie bal, Sem!" roept hij.

Die kijkt blij. „Echt waar?"

Koen knikt.

Na een gelijkmaker van Aukje, breekt Koen op links door. Er komen twee verdedigers op hem af. Daardoor staat Kay in het midden vrij.

Ik geef de bal mooi niet aan Kay, schiet het even door Koens hoofd. Hij deed de hele tijd stom tegen mij. Maar misschien wil hij zijn fouten echt goedmaken…

In een flits geeft Koen toch een voorzet op Kay. Die knalt de bal langs de keeper. Goal! Het winnende doelpunt.

„Bedankt, Koen." Kay vliegt Koen om de nek. „Dit is mijn eerste goal ooit. Dankzij jouw voorzet."

„Als iemand anders er beter voorstaat, moet je altijd overspelen," meent Koen.

De scheids fluit meteen af.

Kay krijgt schouderklopjes van de rest.

Hij schudt zijn hoofd. „Ik heb zo naar tegen jou gedaan," bekent hij. „Dat had ik nooit moeten doen."

„Ach, laat maar," zegt Koen. „We hebben drie punten gepakt. Als we de andere drie wedstrijden ook winnen, winnen we de beker."

„Dat zou echt vet zijn," lacht Kay. En hij slaat een arm om Koen heen.

Langs de lijn geeft Koens moeder hem een vette knipoog.

Een feestmaal met friet

De tweede wedstrijd speelt Koens team gelijk.
Daarna winnen ze gelukkig weer. Er is nog kans
op de beker!

De laatste wedstrijd speelt Koen tegen het
team met Tarkan, Niels en Renske.

Koen geeft aanwijzingen. „Sem, dek jij Niels
goed? Anders scoort hij aan de lopende band."
„Komt goed," zegt Sem.

Ondanks de goede dekking, krijgt Niels toch
een paar kansen. Maar Gijs stompt de ballen
weg.

Lange tijd blijft het 0-0.

„Straks worden het strafschoppen," zegt Kay.
„Ben jij daar goed in, Koen?"

„Best wel," zegt Koen.

„Ik heb er nog nooit een genomen. Het lijkt
me wel spannend," vindt Kay.

Maar drie minuten voor het eind passt Aukje
in de diepte. Koen neemt de bal in de loop
mee. Hij speelt Tarkan voorbij. Dan passeert hij

Daantje, het meisje dat op doel staat. Koen
staat voor een lege goal. Hij kan met gemak
scoren. Ineens ziet hij Sem naast zich. Koen legt
de bal breed, en Sem tikt binnen: 1-0!

Sem gaat uit zijn dak. Wild rent hij op Koen af.
Hij spreidt zijn armen en springt tegen hem op.
„Klasse, Koen. Vet bedankt!"

„Goed schot, Sem!" juicht Koen.

Even later fluit de scheids. De wedstrijd is
afgelopen. Koens hele team duikt op Sem.

Het publiek langs de kant klapt hard.

Koen kijkt naar zijn vader en moeder. Ze doen hun duim omhoog.

Het duurt even voordat de prijzen worden uitgereikt. Kantinebaas Frank is nog erg druk bezig. Hij sjouwt samen met meneer Waser een lange tafel naar buiten. Daar zet de voorzitter de bekers op.

Het zweet drupt van Franks gezicht. „Ik ga gauw weer naar binnen. Ik moet de afwas nog doen, friet bakken en fris inschenken. En morgen moet ik de vloeren dweilen."

Broekie ziet dat Frank zweet van alle drukte. Hij fluistert de voorzitter iets toe.

Dan wordt eindelijk de beker uitgereikt. Koen verwacht dat hij hem mag komen ophalen, maar dat is niet zo.

„De eerste prijs gaat naar het team van Sem en Kay," zegt de voorzitter. „Willen jullie even naar voren komen?"

De twee jongens kijken verbaasd. Koens team

juicht. De andere spelers van FC Top klappen.

„Jullie hebben de beker gewonnen door sportief voetbal," zegt meneer Waser. „Daar ben ik erg blij om. Maar aan het begin waren jullie niet zo sportief. Daarom krijgen jullie straf."

Sem en Kay kijken elkaar benauwd aan.

„Morgen moeten jullie Frank in de kantine helpen. Laat zien dat jullie ook met Frank een goed team kunnen vormen."

De twee jongens moeten lachen. Ze zijn blij dat ze er zo makkelijk vanaf komen. Tijdens de ereronde tillen ze Koen op hun schouders.

Koen geniet. Hij heeft de glimmende beker vast. Trots steekt hij hem omhoog.

Na het douchen moeten alle spelers van Broekie en Robbert in de kantine komen.

„Wat zou er zijn?" vraagt Koen. Hij zet de beker op de bar.

„Ik weet het wel," zegt Renske. Zij ziet twee lange versierde tafels staan.

Als alle spelers zitten, neemt Broekie het woord. „Ondanks de problemen vinden Robbert en ik dat jullie er een cool kampeerfeest van hebben gemaakt. We hebben genoten van mooie en sportieve wedstrijden. Daarom sluiten we af met een feestmaal. Er is saté, patat en appelmoes."

„Echt vet!" roept Gijs.

„Ja," lacht Robbert. „Maar ook heel erg lekker."

Iedereen begint te zingen. „Broekie bedankt" en „Robbert bedankt" door elkaar.

„En dan nu: eten!" roept Frank.

Het lijkt wel alsof ze al dagen honger lijden.

Iedereen stopt zo veel mogelijk patat tegelijk in zijn mond. Het wordt een grote bende.

„Hé, wel een beetje rustig aan," roept Kay serieus. „Wij moeten alles morgen weer opruimen!"

Fred Diks heeft ook de volgende
voetbalboeken geschreven:

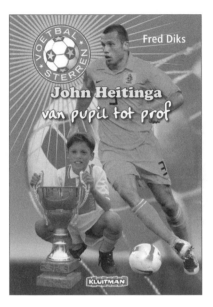

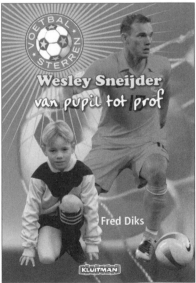

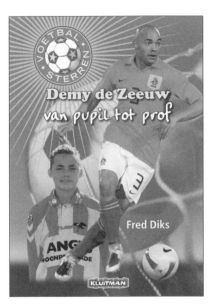

Nelson Mandela

Katie Daynes

Designed by Karen Tomlins

History consultant: David Harrison
Reading consultant: Alison Kelly

Edited by Jane Chisholm

Photographic manipulation by Keith Furnival

Front cover: Mandela the day after his release in 1990
Title page: Mandela revisits his prison cell in 1996

Acknowledgements

© africamediaonline pp4-5 (Piper Collection), p7 (Cory Library / Rhodes
University), p25 (Drum Social Histories), p31 (Drum Social Histories), p35
(Drum Social Histories), p37(t&b) (Drum Social Histories); © AKG-
IMAGES p41, p54, p56, p57, p58 (africanpictures); © ALAMY pp8-9
(National Geographic Image Collection), pp10-11 (AfriPics.com),
p52 (Jeremy Sutton-Hibbert), p61 (Images of Africa Photobank);
© CORBIS front cover (Patrick Durand / Sygma), spine (Louise
Gubb), back cover (Bernard Bisson / Sygma), p1 (Louise Gubb),
pp2-3 (Peter Turnley), p13 (Gallo Images), p25(b) (Bettmann), p26
(Bettmann), p29 (Bettmann), p44(b) (Bettmann), p46 (Mary Benson
/ Felicity Brian Literary Agency / Sygma), p53 (Micheline Pelletier /
Sygma), p55 (Bettmann), p60 (Peter Turnley);
© GETTY IMAGES p17 (Time & Life Pictures), pp18-19 (Gamma-Keystone),
p21 (Ejor), p23 (Hart Preston / Time Life Pictures), p30 (Jurgen Schadeberg),
p32 (AFP), p33 (Jurgen Schadeberg), p36 (AFP), p62 (Philip Littleton / AFP); ©
Rex Features p15 (Sipa Press), p34 (Sipa Press), p39 (Sipa Press),
p43 (Sipa Press), p47; © TOPFOTO p38, p44(t) (Ullstein Bild),
pp48-49 (ImageWorks), p51, p63 (Topham / PA)

Some of the photographs in this book were originally in black and
white and have been digitally tinted by Usborne Publishing.

Internet links

Find out more about Nelson Mandela's amazing
life by going to www.usborne.com/quicklinks
and typing in the keyword 'Mandela'.

Contents

People from Mandela's home village line up to vote in the 1994 election. It's the first time that black South Africans were allowed to vote.

AFRICA

SOUTH AFRICA

Pretoria

Soweto • Johannesburg

Sharpeville

SOUTH AFRICA

LESOTHO

Bizana

The Great Place • Qunu

Mvezo •

TRANSKEL

Robben
Island

Cape Town

University
of Fort Hare

East London

Cape Town

Port Elizabeth

A map of South Africa, showing the places mentioned in this book

Introduction

Nelson Rolihlahla Mandela was born in Mvezo, a tiny village in the Transkei region of South Africa, on July 18, 1918. His father, Gadla, was the village chief and an adviser to the king of their tribe. Gadla had four wives and 13 children, and he shared his time between them. He named his youngest son Rolihlahla, meaning 'troublemaker' in the local language, Xhosa. The name Nelson was given to Rolihlahla later, when he started at school.

The Mandela family belongs to the Thembu tribe, part of the Xhosa nation. Thembu people had lived in the Transkei region for hundreds of years.

Cattle graze in the Transkei region of South Africa, where Mandela grew up.

Village life changed little in that time. Families continued to live in mud huts, farming fields and herding animals. But South Africa wasn't just home to African tribes. White settlers from Europe, mostly of Dutch origin, had been living there since the 1600s. They spoke their own language – Afrikaans – and were known as Afrikaners. In the 1800s, British traders settled on the southern tip of Africa. The British and the Afrikaners fought over the land, especially when diamonds and gold were discovered. They also fought with Africans who were living there already.

At the time of Mandela's birth, South Africa was ruled by white settlers, and white government officials, known as magistrates, controlled regional areas. When Mandela was just a baby, his father was summoned by the local magistrate to settle a dispute. He refused to go, since he didn't believe a white magistrate should have authority over him. As punishment, the magistrate took away his title of chief and the family lost most of its fortune.

Mandela's mother moved with her children to Qunu, a larger village nearby, where she would have the support of friends and relatives. And that is where our story begins.

Chapter 1
A rural childhood

The rolling green hills surrounding Qunu were a vast playground for local boys. While their mothers and sisters were busy growing crops in the valley, the boys roamed barefoot on the hillside, herding sheep and cattle. They gathered wild fruits and honey, slid down the large, flat rocks, fought each other with sticks and fired at birds with homemade catapults. When the sun sank low in the sky, the boys would race back to their huts.

As a young boy, Rolihlahla Mandela lived with his mother and three sisters. They had a hut for cooking, a hut for sleeping and a hut for storage.

A Xhosa village in the Transkei region

Most village children only saw their fathers twice a year. The rest of the time, the men worked on large farms or in the gold mines. But because Mandela's father was an adviser to the king of their tribe, he still lived in the area. He would come to stay once a month and entertain his son with stories of historic battles and heroic warriors.

A mother grinds maize — the village's main food — on a stone mortar.

One evening, when Mandela was seven, his father told him that he was going to start school. The boy was stunned. No one in his family had ever been to school. He would be sad to leave his friends on the hills, but his father's word was law.

Until then, Mandela had only ever worn a blanket, wrapped around one shoulder and pinned at the waist. For school he would need trousers. His father took a pair of his own and chopped them off at the knee. With a piece of string tied around the waist, they just about stayed up.

And so Mandela became a schoolboy. The local school had been set up by Methodist missionaries and lessons were based on the British curriculum. The teachers were black Africans, but they gave all the children English names. The name chosen for Mandela was 'Nelson', and it stayed with him for the rest of his life.

Two years went by before Mandela's life changed significantly. He was woken one night by loud coughing. His father had arrived unexpectedly and was very ill. For several days he neither spoke nor moved. Then one evening he asked for his pipe. After smoking silently for an hour, he died.

Mandela experienced a strange, empty feeling, but he didn't have long to dwell on it. The Thembu king, Chief Jongintaba, said he would be Mandela's guardian and look after him as a son. Mandela's mother couldn't turn down such an offer. So, early one morning, they set off on foot for the royal residence, known as the Great Place.

After walking all day, Mandela gazed in amazement at his new home. It consisted of two Western-style houses, seven dazzling white huts and two vast gardens. Suddenly, an enormous car drove into view and out stepped Chief Jongintaba.

Mandela's mother stayed a few days, then left without any fuss, leaving Mandela to immerse himself in a wonderful new world, far grander than anything he had ever known. He went to a school next door and herded animals as before, but he also rode horses, wore new clothes and danced the evenings away to beautiful singing.

Tribal meetings took place regularly at the Great Place, with chiefs and visitors crowding in from miles around. Everyone was given the chance to speak and food was served throughout the day.

Mandela was fascinated by the meetings and how different people put forward their views. He noticed that some men spoke clearly and captivated their listeners, while others rambled on, sending people to sleep.

Mandela's hero at this time was Jongintaba's son, Justice. He was four years older – handsome, outgoing and an excellent sportsman. Mandela felt shy and serious by his side, but they became good friends.

The hilly landscape near
to the Great Place

When Mandela was 16, Jongintaba decided that he and Justice should be circumcised and become men. Along with 24 others, they moved into a grass hut in a secluded valley where they spent their last few days of boyhood, sharing stories and performing dares.

On the day of the circumcision, the boys woke at dawn and bathed in the local river as a symbol of purification. At noon they lined up in front of an audience of relatives and chiefs. To the sound of heavy drumming, an old man went from one boy to the next, slicing off their foreskins. It was so painful, Mandela almost forgot to shout out the crucial words: "I am a man!"

The new men were then covered in white chalk and sent to their huts to recover for several days. When they emerged, there was a celebration with speeches, songs and gift-giving. To Mandela's immense pride, Jongintaba gave him two cows and four sheep.

But the magic of the occasion was broken when the main speaker, Chief Meligqili, addressed the crowd. "The promise of manhood is an illusion," he announced, "for all black South Africans are a conquered people. We are slaves in our own country. Our sons will cough their lungs out deep in the bowels of the white man's mines. These gifts today are nothing, for we cannot give the greatest gift of all, which is freedom and independence."

Mandela was confused. Why did the Chief have to spoil their important day? But his words lingered long in Mandela's memory.

Xhosa boys huddle in their hut before celebrating their initiation to manhood.

Soon after the ceremony, Jongintaba sent Mandela to a mixed South African boarding school. "It is not for you to spend your life mining the white man's gold," he said. He felt his adopted son was destined for greater things.

Mandela, at age 19

From then on, Mandela was exposed to white teachers and Western culture. At first, he felt very out of place. Even the clothes were uncomfortable.

"The country boy isn't used to wearing shoes," giggled a couple of girls as he walked into the classroom in his new boots.

But Mandela brushed off their jibes. He worked hard, did well in lessons and steadily developed more confidence. For the first time he met and made friends with people from other tribes. He dreaded Sunday lunch, though, when everyone ate together. He wasn't used to using a knife and fork and was afraid the girls would laugh at him again.

14

When Mandela was 21, he won a place at the University College of Fort Hare, the only university for non-whites in South Africa. Jongintaba was delighted and bought Mandela a suit to mark the occasion.

Mandela threw himself into his studies and filled his spare time with football, boxing, long-distance running, drama and ballroom dancing.

In his second year, Mandela was elected onto the student council. But only 25 students had voted; the others had refused as part of a protest against the awful food. Mandela didn't want to be on the council without the students' full support, so he resigned immediately. The next day, he was called to see the university principal.

"If you insist on resigning," warned the principal, "I have no choice but to expel you. You have all summer to consider it."

The last thing Mandela wanted was to give up his education, but he refused to go against his principles. At the end of term he left Fort Hare, knowing that he might never return.

Chapter 2
City life

Back at the Great Place, Mandela distracted himself by spending time with Justice and looking after Chief Jongintaba's herd. A few weeks into the summer break, Jongintaba summoned Justice and Mandela to a meeting.

"I fear that I am not much longer for this world," he told them solemnly, "and before I journey to the land of the ancestors, it is my duty to see my two sons properly married. I have, accordingly, arranged unions for you both."

Mandela and Justice couldn't believe their ears. They knew that Jongintaba had the right to plan their future, but an arranged marriage was the last thing either of them expected. When Jongintaba

Street life in central
Johannesburg in the 1940s

revealed who the brides were to be, their hearts
sank lower. But it was useless arguing. They
felt the only answer was to run away, and the
destination they chose was Johannesburg city.

They waited until Jongintaba had left on a
week-long trip before making their escape. It
was a difficult journey: Johannesburg was over
700km (400 miles) away. But with the help of
relatives and friends, and by spending most of
their savings on trains and car rides, they finally
reached the sprawling city.

Justice and Mandela were dazzled by the bright lights and busy traffic. They used Jongintaba's name to get jobs in a gold mine. But when their boss found out they had run away from home, he fired them. After that, they decided to go their separate ways.

Mandela wanted to finish his degree and train as a lawyer. He was helped by Walter Sisulu, a successful mixed-race businessman and local leader. At Walter's recommendation, a white lawyer, Lazar Sidelsky, gave Mandela a job.

Mandela found lodgings with a family on the outskirts of Johannesburg, in an area called Alexandra. With very little income he had to pay

for his room, his university course, candles and food. Often this left him with no money for the bus, so he ended up walking the six miles into work.

Alexandra was a township – one of many urban living areas reserved for non-whites. While most whites lived in comfort in the spacious suburbs, the townships were underdeveloped and overcrowded.

Alexandra was known as Dark City because there was no electricity and gangsters ruled the streets. But it was one of the few places in South Africa where black Africans could buy their own place to live. For Mandela, it became home.

Homes in the townships were often made from pieces of corrugated iron and fabric.

Mandela's boss, Sidelsky, was a patient, generous man and Mandela quickly learned how a law firm operated. He was lucky to have a job at all, since all South African law firms were run by whites and most of them didn't employ blacks.

Although black Africans ruled over their tribal homelands, whites were in overall control of the country. They had the most money, the biggest houses and the best opportunities. There were many Indians living in South Africa, as well as people of mixed race, and some of them were quite well-off too. But most blacks struggled on the poverty line. And, since the government didn't allow non-whites to vote, they had little chance of improving their situation.

"We have no race bar here at the law firm," announced the white secretary on Mandela's first day. She meant that everyone was treated the same way, but Mandela soon saw that this wasn't true. He was dictating a letter when a white client arrived. The secretary looked flustered and quickly took a sixpence from her purse. "Go and buy me some shampoo, Mandela," she said. She didn't want the client to know that she was working for a black man.

There was one other black employee at the firm. His name was Gaur Radebe and he belonged to two political parties – the ANC (African National Congress) and the Communists. He fervently believed that all people should be treated equally.

Most lunch breaks Gaur would talk to Mandela about Africa's struggle for freedom. Mandela listened with increasing interest. He agreed that the treatment of blacks in South Africa was unfair, but the problem was how to improve the situation.

Over the following months, Gaur persuaded Mandela to attend some ANC meetings. Mandela enjoyed the lively debates and was surprised to see whites and Indians taking part too.

Signs like this were common in Johannesburg.

When the local bus company tried to raise bus fares from four to five pence, the ANC organized a mass boycott. Mandela joined a crowd of ten thousand on a march to support the boycott. He was impressed by the result. After nine days of empty buses, the company admitted defeat and cancelled the increase.

One day, Mandela heard that Jongintaba had died. So he hurried back to the Transkei to pay his respects. When he saw his childhood home again, he realized how he had changed: he was no longer a simple country boy but a modern man of the city.

Mandela continued to fit his law studies around meetings and work. He enrolled at the University of Witwatersrand, where he was the law department's only black student. It wasn't easy or pleasant. In lectures, students made a point of moving seats so they didn't have to sit next to a black man. Even the law professor stated openly that blacks didn't have the discipline to study law.

Fortunately, some students went out of their way to welcome Mandela. Joe Slovo, Bram Fischer, Ismail Meer and J.N. Singh were just

Students sit on the steps at
Witwatersrand University in 1943.

a few of his white and Indian friends. They all
had one thing in common – a desire to fight
for equality.

But the man who influenced Mandela the most
was Walter Sisulu. Walter's door was always open
to ANC members and Mandela spent many
evenings with him enjoying lengthy debates.

At Walter's house, Mandela met a quiet, pretty
girl named Evelyn Mase, who was training to be
a nurse. He asked her out and they soon fell in
love. That same year, they were married.

Chapter 3
Fighting apartheid

Mandela and Evelyn had very little money, so they lived with Evelyn's relatives until their son Thembi was born. Then the state allocated them a two-room house.

Mandela was delighted to have a son. He loved feeding, bathing and reading to Thembi in the evenings. But such moments were rare, for most of Mandela's spare time was now taken up by the ANC.

In 1948, South Africa held a white general election. Most blacks prayed that the Nationalist Party wouldn't be voted in. Many Nationalists had supported Nazi Germany during the Second World War, and their election campaign was racist and aggressive.

The Nationalist Party's main policy was *apartheid*, meaning 'apartness'. For centuries, whites in South Africa had treated blacks as second-class citizens. But the Nationalists now planned to separate the whites from the non-whites by law.

On the morning of the result, Mandela was leaving an all-night ANC meeting with his friend Oliver Tambo. They passed a newspaper stand and saw headlines heralding a Nationalist victory. Mandela turned to Oliver in dismay and was shocked to see his friend smiling.

Oliver Tambo – he was at Fort Hare University with Mandela.

"I like this," said Oliver. "Now we will know exactly who our enemies are and where we stand."

The South African Cabinet poses for a portrait after they are sworn into office in 1948.

The Nationalist Party quickly put its policies into action. From then on, all South Africans were to be separated by race. Different races had to live in different areas, with movement between them strictly controlled. And under the Immorality Act, romantic relationships between whites and non-whites were banned.

Walter, Oliver and Mandela agreed it was time for the ANC to take mass action. In India, Gandhi had led non-violent protests against British rulers, and won independence for his people. Now they felt it was South Africa's turn.

Non-whites were required to carry passes at all times. Here police check the passes of two men heading to work on the mines.

The Communists also felt strongly about the need for protest. On May 1, 1950, they held a one-day general strike, known as Freedom Day. They were calling for all discriminatory laws to be abolished. Over two-thirds of black workers stayed at home during the day and in the evening hundreds of protesters marched the streets.

Walter and Mandela were watching the march from a distance when, without warning, a group of policemen opened fire. Then more police on horseback galloped into the crowd, wielding their batons and beating protesters. Altogether, they killed 18 people and injured many more.

A few weeks later, the government banned the Communist Party and made it a crime to be a member. The ANC decided to show its disgust by holding a National Day of Protest.

By now, Mandela was a member of the ANC national committee. It was his job to coordinate the protest in different parts of the country. On the day of the protest, the majority of workers agreed to stay at home and the ANC led a demonstration of five thousand people. It was reported in newspapers across the country, which was great publicity for the movement.

With his law work in the daytime and political meetings in the evenings, Mandela had little time for anything else. He only just made it to the birth of his second son, Makgatho.

"You're never here," complained Evelyn. "Yesterday Thembi asked me where his Daddy lived. What was I supposed to say?"

It pained Mandela to be away from his family, but he had chosen to put the fight for equality first. And the ANC was planning its biggest mass action yet.

Under the Nationalists' new laws it was a crime for blacks to enter "Whites Only" areas, including toilets, railway carriages and waiting rooms. It was also a crime to be out after 11pm. The ANC launched what they called a defiance campaign, where people in designated areas deliberately broke the new laws. Police and journalists were notified first, to ensure maximum publicity.

On June 22, 1952, Mandela explained the defiance campaign to a rally of ten thousand people. "This will be the most powerful action ever undertaken by the oppressed masses in South Africa," he declared. "We are going to make history, and the world will be watching."

The campaign lasted five months and over eight thousand volunteers took part. One by one, they went into Whites Only areas singing freedom songs and chanting, "Open the prison doors. We want to enter." Soon the cells were filled with jubilant protesters. Journalists reported the campaign throughout the country and thousands more people joined the ANC as a result.

That same year Mandela finally qualified as a lawyer. He and Oliver Tambo set up their own law firm – the only firm of black lawyers in Johannesburg. The brass plate on the door said "Mandela and Tambo" and soon there was a constant stream of clients.

Black South Africans take over a white, "European" train compartment as part of the 1952 defiance campaign. 34 were arrested.

SLEGS BLANKES.
EUROPEANS ONLY.

They spent most days in court, defending the rights of ordinary black people. At every turn, they faced blatant racism. White witnesses refused to talk to them and white magistrates refused to believe they were qualified lawyers. But Mandela and Tambo battled on and their persistence often won them their cases.

Meanwhile, the government was making life for blacks even tougher. It restricted the education available for black children and forced thousands of black families to leave their homes and resettle away from white urban areas.

People in the black township of Sophiatown protest against their forced removal in 1955. Sophiatown was demolished to make way for a white township.

School children march in protest at the changes in education. "Baas" is the Afrikaans word for boss. Non-whites were supposed to use it when addressing a white man.

The ANC responded with more non-violent protests, but the Nationalists were determined to stamp out all opposition. They issued orders to ANC members, banning them from attending meetings and from moving freely around the country. Mandela was even banned from his own son's birthday party.

Then, in December 1956, the government went a step further. Mandela was woken just after dawn by heavy knocking on his door. It was the security police with a warrant to search his house and arrest him. The charge was a grave one: High Treason.

In total, 156 ANC members were taken to Johannesburg prison. They were forced to strip and line up against a wall. Then they were given back their clothes and marched into two large cells.

Because of the strict banning orders, it had been ages since so many ANC members had gathered in the same place. They made light of the appalling prison conditions and organized an impressive schedule of lectures, physical training, freedom songs and even tribal dancing.

Two weeks later, when they were finally taken to the courtroom, their spirits were high. They greeted the massive crowd of supporters by putting their thumbs up, a salute regularly used by the ANC.

ANC supporters give the thumbs up to their comrades (some white as well as black) in a prison van, 1956.

The accused were ordered to sit in an enormous wire cage, but even this was met with good cheer. One of Mandela's colleagues attached a piece of paper to the cage. On it he had scribbled: "Dangerous. Please Do Not Feed."

Mandela stays cheerful during the treason trial, 1958.

Four days later, they were released on bail. Mandela returned home to find that Evelyn had left him and taken their children. He was sad, but not surprised. The couple had been drifting apart. Evelyn disapproved of Mandela's political life. She couldn't understand why he spent so many evenings in meetings, and accused him of seeing other women.

As for Mandela, the rights of African people were his top priority. And now he had his own freedom to fight for, too.

33

Chapter 4

Treason trial

The treason trial dragged on for four years. In the first year, charges were dropped against 65 of the accused, but 91 remained on trial. Day after day, Mandela had to sit in court as the state tried to prove that the ANC had been planning violent attacks. But the state lawyers were struggling to find any evidence of violence.

In the evenings and on weekends, Mandela was allowed to return home. He and Oliver would work long into the night, desperate to keep their law firm running.

A group photo of all the accused in the treason trial, taken in December 1956

One afternoon, Mandela was driving past a bus stop when a beautiful young woman caught his eye. Two weeks later, the same woman turned up at his office. Her name was Winnie Madikizela and she needed some legal advice. Mandela tried to concentrate, but all he wanted was to ask her out.

Winnie – Mandela's second wife. He said she gave him "a new and second chance at life."

The next day, he phoned Winnie at the hospital where she was a social worker and invited her to lunch. He was so taken by her spirit and passion that he knew he wanted to marry her, and he told her so at once.

In the following weeks and months, they saw each other as often as they could. Mandela explained how the treason trial was ruining his law practice, how he had very little money and how the ANC's struggle for freedom had taken over his life. Winnie accepted all this. She admired him for his beliefs and conviction, and was prepared to take on the challenge of marrying him.

Mandela and Winnie on their wedding day, June 14, 1958

The wedding was a joyful event in Winnie's home town, Bizana, a day's drive from Johannesburg. The bridal car was decorated in the ANC's black, green and gold and the dancing and singing continued long into the night.

Mandela was allowed six days' leave for his wedding, then he had to return to Johannesburg and his treason trial. But he went back to the courtroom with renewed energy. His love for Winnie gave him added strength.

As the treason trial continued, so did the troubles in South Africa. Mandela was in court when news broke of a massacre in Sharpeville, a small township 56km (35 miles) south of Johannesburg.

Several thousand peaceful protesters had surrounded the police station when the police suddenly opened fire. 69 Africans were killed, mostly from bullets in their backs as they tried to flee. Hundreds more were wounded.

The news quickly spread around the world and provoked outrage from many foreign leaders. The South African police argued that it was a reasonable

People flee the scene of the Sharpeville massacre on March 21, 1960.

response to a threatening crowd of demonstrators. When thousands more people rose up in protest, the government announced an official State of Emergency. This gave them the power to act outside the law.

Thousands gather at a funeral for 34 of the Sharpeville victims.

Two days later, security police raided Mandela's house and took him away without a warrant. For the next five months, he and other defendants in the treason trial spent

People burn their passes in protest at the government's oppressive laws.

their days beween prison and court.

One by one, the 91 accused ANC members defended themselves against the charge of treason. Mandela was used to speaking to a hostile courtroom. He explained boldly how non-violent action was necessary to make the government listen. "We will launch defiance campaigns and stay-at-homes," he stated, "until the government says: let's talk."

Once the State of Emergency had been lifted, Mandela was allowed home each evening to his beloved Winnie and their little daughter, Zenani. That Christmas, their second daughter, Zindziswa, was born. Mandela longed to be a good family man, but the treason trial was finally nearing its end and the ANC needed to discuss its future.

Even if the judge found them not guilty of treason, they would no longer be able to hold meetings or lead protests without risking arrest. The committee decided that if Mandela was set free, he should go "underground" after the trial and travel around the country in secret, popping up where he was least expected and creating maximum publicity for the ANC. Mandela accepted the role willingly, though it was hard breaking the news to Winnie. They would be forced to spend long periods of time apart.

On the morning of March 29, 1961, hordes of supporters and journalists waited eagerly outside the courtroom. Inside, the judge spoke for 40 minutes before declaring the verdict: not guilty.

After the verdict, Mandela and friends sing "Nkosi Sikelel' iAfrika" (Xhosa for "God Bless Africa").

Chapter 5
The Black Pimpernel

Mandela began a life of mystery and adventure. To travel the country, he disguised himself as a chauffeur and sat behind the wheel of his own car. A lot of white men had black chauffeurs, so no one looked twice at a black driver wearing a cap and overalls. If anyone asked his name he replied, "David Motsamayi."

During the day, Mandela camouflaged himself among farm and factory workers. At night, he attended secret meetings. Soon there was a warrant out for his arrest. The police set up roadblocks and the newspapers followed the story closely. They nicknamed Mandela "the Black Pimpernel" after a fictional hero – the Scarlet Pimpernel – who was a master of disguise.

Mandela added to the intrigue by phoning news reporters from random phone booths. To increase public interest, he gave hints of his whereabouts and details of upcoming meetings, but never enough for the police to track him. He based himself at Liliesleaf farm in Rivonia, north of Johannesburg.

Soon other ANC members joined him and the farm became their secret headquarters.

Mandela's main task was to organize a massive stay-at-home strike. He wrote to warn the Prime Minister and suggested holding talks instead, but the Prime Minister never replied.

The strike was to begin on May 29, 1961, and to last three days. As the date loomed, the government became more anxious and aggressive. They raided the houses of opposition leaders and seized control of local printing presses. All police leave was cancelled, troops were stationed in black areas and helicopters hovered overhead.

Mandela pulls his coat over his head on his way to an ANC conference in March 1961.

Fortunately, the government intimidation didn't work. On the first morning of the strike, hundreds of thousands of non-white South Africans risked losing their jobs and precious incomes by not going to work.

While it was an impressive response, Mandela found the whole event frustrating. Peaceful protests seemed useless when the government simply refused to listen.

At a meeting with local and foreign press, held in secret in a white suburb, Mandela voiced his concern. "If the government reaction is to crush by naked force our non-violent struggle," he announced, "then we will have to reconsider our struggle."

Mandela argued with the ANC committee for a change in tactics. "If violence doesn't become our policy," he said, "individuals will simply take up arms themselves."

The ANC had always renounced violence, but even the president, Chief Albert Luthuli, agreed that it was now inevitable. "If anyone thinks I'm a pacifist," he declared, "let him try to take my chickens, and he will know how wrong he is!"

After much discussion, the ANC authorized Mandela to create a military organization, so long as it remained separate from the ANC. Mandela had landed himself the heavy task of creating an army.

The new organization was named Umkhonto we Sizwe, meaning "The Spear of the Nation" in Xhosa, and known as MK for short. Mandela formed a committee with Joe Slovo and Walter Sisulu, and preparation for action began in earnest. Their mission was to perform acts of violence against the state, with the least possible harm to individuals.

Still in hiding, Mandela revealed his intentions through various South African newspapers:

"Only through hardship, sacrifice and militant action can freedom be won," he told reporters. "The struggle is my life. I will continue fighting for freedom until the end of my days."

In hiding, Mandela poses for a photo wearing traditional Thembu dress, 1962.

Police break up a riot in Durban, 1959. Continuing violence by the state was a major reason for the ANC to authorize military tactics.

After months of careful planning, MK was launched on December 16, 1961. Homemade bombs were detonated at electricity power stations and government offices in three major cities. Then thousands of leaflets were circulated, introducing MK to the people. "The time comes in the life of any nation," stated the leaflet, "when there remain only two choices: submit or fight."

That same month, Chief Luthuli was awarded the

Nobel Peace Prize in Norway. It saddened Mandela that peaceful tactics alone couldn't win freedom in South Africa, but he was convinced that planned violence was now the only way forward.

Chief Luthuli accepts his Nobel Peace Prize for leading the ANC against apartheid.

To build up his army, Mandela needed help from other African countries. When the ANC was invited to a conference by the Pan-African Freedom Movement, they chose Mandela to represent them.

At the age of 43, Mandela left South Africa for the first time and journeyed via several African countries to Addis Ababa in Ethiopia. Along the way, he was amazed at the equality between blacks and whites. For the first time he saw white waiters serving black customers, and a black pilot flying a plane.

At the conference, Mandela summed up the history of the struggle for freedom in South Africa and the pressing need for violent action. "A leadership commits a crime against its own people," he explained, "if it hesitates to sharpen its political weapons where they have become less effective."

Mandela's speech persuaded many that the freedom fighters in South Africa had no choice but to take up arms. Now he needed support. He visited ten African countries and met their presidents. Most offered money for weapons and some offered military training too.

Next on his agenda was ten days in England. Oliver Tambo had set up an ANC office in London and Mandela was eager to see him. On his visit he met British journalists and politicians. He also managed some sightseeing in the country he'd learned so much about at school.

From London, Mandela returned to Addis Ababa to begin six months' military training. He learned how to use firearms, make bombs and march for hours on only water. In the evenings, a colonel lectured him on how to command a liberation army.

"When you are on duty, you must exercise authority with assurance and control," said the colonel. "But when you are off duty, you must conduct yourself on the basis of perfect equality, even with the lowliest soldier."

It was excellent advice, but Mandela would never have the chance to put it into practice.

Mandela looks over the river Thames with his friend Mary Benson, a fellow South African and anti-apartheid campaigner.

Mandela grew a beard while on the run.

Chapter 6
A life sentence

After only eight weeks' military training, Mandela received an urgent telegram from the ANC. The violence in South Africa was escalating and they felt the commander of MK should be there.

Upon his return, Mandela gave the committee a full report of his trip.

"You must also report to Chief Luthuli in Durban," said Walter.

"It's too dangerous," argued another member. "The police know you're back. They'll be waiting."

But Mandela agreed to go.

The expedition went smoothly at first and, after meeting the chief, Mandela set off for Johannesburg. While a white friend named Cecil Williams drove, Mandela gazed out at the familiar countryside. He was looking forward to seeing Winnie and his daughters. Suddenly, a car pulled out from nowhere and signalled for them to stop. Behind, two more cars were in hot pursuit.

Cecil reluctantly stopped the car and a white police sergeant peered through the passenger window with a look of triumph. The Black Pimpernel had finally been caught. Mandela was charged with leaving the country illegally and inciting African workers to strike. He accepted the charges but refused to admit he was in the wrong. He was sentenced to five years' imprisonment.

Mandela was taken to South Africa's most notorious prison: Robben Island. The white warders who greeted the prisoners were bullies, constantly trying to intimidate them.

"Jog!" they cried, as Mandela neared the prison block. Instead of running though, Mandela slowed his step. He refused to be treated as a common criminal. He was a political prisoner, and his struggle for justice would continue within the prison walls.

Robben Island, 12km (7.5 miles) from Cape Town, had been used as a prison for centuries.

Mandela hadn't been on Robben Island long when he was abruptly summoned back to Pretoria. The ANC headquarters at Liliesleaf farm had been discovered. Hundreds of documents had been seized, incriminating ANC members. Mandela and ten of his colleagues were charged with sabotage and trying to start a violent revolution. The state was pressing for the supreme punishment: the death sentence.

Mandela stood as accused number one. While he couldn't deny sabotage, he could deny trying to start a revolution. "My Lord," he said to the judge, "it is not I, but the government that should be in the dock. I plead not guilty."

One by one, Mandela's colleagues stood up and said the same thing. They wanted to use the publicity of the court case to promote the ANC's struggle for freedom.

In Mandela's statement to the court he spoke of his fight for equal opportunities. "It is an ideal which I hope to live for and to achieve," he stated. "But if needs be, it is an ideal for which I am prepared to die."

In news reports all over the world people followed the case of 'The State versus Nelson

Women protest outside the Pretoria Supreme Court on June 12, 1964.

Mandela and Others'. But despite pressure from
the United Nations to release the prisoners, the
accused were found guilty. All that remained was
the punishment.

Finally, on June 12, 1964, the judge announced
his decision. "The sentence in the case of all the
accused will be one of life imprisonment."

The news was met with great rejoicing in the
spectators' gallery. Mandela and his comrades had
been spared the death penalty. That evening the
prison bars vibrated to the melodies of African
freedom songs. Whatever torments lay ahead,
they would live to fight another day.

Chapter 7

Life on Robben Island

Before dawn the next day, the convicted prisoners were flown to Robben Island and imprisoned in a newly-built rectangular fortress. Mandela was led down a corridor into a small cell and given three blankets, a bed mat and a toilet bucket. This cell was to be his home for the next 18 years.

Mandela's cell as it looked in 1964. He wasn't given a bed until 1978.

Life in prison was one endless routine. The inmates were woken at 5:30am by the night warder, who clanged a bell and yelled, "Word Wakker! Staan op!" ('Wake up! Get up!')
They had to clean

Mandela's cell was on this maximum security corridor.

their cells and wash out their buckets before a breakfast of sloppy porridge in the courtyard. Then they lined up for an inspection and marched out to work.

Mandela spent most days in a dusty quarry, breaking open the rock and scraping out white lime. It was strenuous work, especially under the midday sun. But he found comfort in the 20 minute walk to the quarry, for most of the island was a place of natural beauty.

The prisoners worked until 4pm, showered in cold saltwater and ate more porridge, with a piece of meat or carrot if they were lucky. Bedtime was at 8pm, but they slept with a bright bulb blazing continuously above them.

For Mandela and many of his fellow prisoners, the hardest side of prison life was being cut off from the outside world. At first, they were allowed only two visitors a year and they could only send and receive one letter every six months. Even then, the letters were heavily censored and usually arrived late with large chunks cut out.

On the rare occasions that Winnie was allowed to visit, she used code to tell Mandela the latest news. "Church" meant the ANC, "priests" were the committee members, their "sermons" meant the ANC's latest actions. Visits were only 30 minutes long and, in the long months that followed, Mandela replayed each minute again and again in his mind.

Mandela and Sisulu allow a British journalist to photograph them early on in their imprisonment.

In 1976, riots in the township of Soweto resulted in 566 deaths.

If any of the members received news from the mainland, they passed it on via a secret message system. Minuscule notes were hidden in the false bottoms of empty matchboxes or sealed in plastic and stuck to the rim of a toilet bowl. One day Mandela found a newspaper where a warden had been sitting. He couldn't resist reading it, but was punished with three days' solitary confinement.

Most news came from new prisoners. Mandela was pleased to hear that MK was extremely active, but dismayed by the number of people dying in the struggle. The government seemed more desperate than ever to stamp out black protesters.

The prison courtyard, where Mandela would exercise every day

Mandela learned that Winnie had been held in solitary confinement for a year, then banished to a small township miles from home. Some nights he couldn't sleep for worry about his family, but his wife was strong and resilient and was soon out protesting again.

As the years went by, the ANC prisoners fought for better conditions on Robben Island. They saw each battle as part of the struggle against apartheid. Through go-slows, hunger strikes and legal threats, life gradually improved.

In 1977, the prison authorities announced the end of manual work. Mandela could now spend his days reading, writing and gardening in the prison courtyard. Now approaching 60, he set himself a punishing schedule of daily exercise, including running and push-ups.

In 1979, he suffered a heel injury playing tennis and was taken to a hospital in Cape Town. He was amazed when the doctors and nurses treated him with respect. It was a sign of how the relationship between blacks and whites had improved since he'd been in prison. But equality was still a distant dream and the violent struggle against apartheid continued.

Three years later, Mandela and Sisulu were suddenly ordered to pack. For 18 years, they had wanted to escape the island. Now they were forced to leave, without even a chance to say goodbye to the other prisoners.

Mandela was given the penthouse appartment in a prison outside Cape Town. The South African government had decided to work with him to bring peace to the country. They even offered him his freedom if he would reject violence unconditionally as a political instrument.

Campaigns for Mandela's release continued throughout his imprisonment.

Mandela refused. He knew that black South Africans would never truly be free while the laws of apartheid still remained. "What freedom am I being offered," he replied, "when my very South African citizenship is not respected?"

As violence around the country escalated, the government tried to negotiate with Mandela. It was only when F.W. de Klerk became president in 1989 that things finally changed. On February 2, 1990, he announced the lifting of bans on the ANC and the Communists, as well as the freeing of political prisoners. A week later, Mandela met de Klerk and was told he would be released the following day.

When Mandela walked out of the prison gates, he was greeted by hundreds of reporters and thousands of well-wishers. At the age of 71, his 27 years of imprisonment were over.

Mandela and his wife Winnie greet the crowds at his release.

"Friends, comrades and fellow South Africans," he cried in his first public speech for decades. "I greet you all in the name of peace, democracy and freedom for all."

Mandela and Winnie were reunited, but it wasn't the homecoming he'd longed for. While Mandela was in jail Winnie had recruited a gang of youths to protect her, known as the Mandela United Football Club. They had just been implicated in the murder of a fourteen-year-old boy. Winnie was charged with kidnap and assault. Mandela stood by her at her trial and she escaped with a suspended sentence.

But there were other problems. Winnie was widely believed to be having an affair with her lawyer and there had been earlier infidelities. Two years after Mandela's release, the couple separated.

Mandela toured the world, thanking all who had stood by him. But still the violence in South Africa continued. A powerful black political party named Inkatha, secretly supported by the government, was stirring up trouble. Mandela and de Klerk held more talks. They agreed that what the country really needed was an open election.

In 1993, Mandela and de Klerk jointly won the Nobel Peace Prize. Then, on April 27, 1994, despite many sabotage attempts, the first national election open to everyone was held in South Africa. Black people lined up around the country to vote for the first time. The turnout was impressive: in total, 90% of those eligible to vote did so. With 62.6% of the vote, the ANC was the clear winner and Nelson Mandela was named South Africa's first black president.

"Let freedom reign!" he announced triumphantly, and his words were relayed on screens and radios around the world.

Mandela and his many supporters campaign for the election in April 1994.

VOTE FOR JOBS, PEACE AND FREEDOM.

ANC

Mandela on the first anniversary of the new South Africa, 1995

Chapter 8

Peace and reconciliation

Mandela saw the election as a victory for everyone, not just the ANC. He appointed both F.W. de Klerk and Thabo Mbeki as his Vice Presidents, and all parties, including the Nationalists, were represented in his government.

The new president's day would start before dawn with exercises and a walk. He ate simply and often alone. He worked tirelessly to build a better life for all South Africans – through reconciliation, not revenge.

Mandela established a Truth and Reconciliation Commission, appointing Desmond Tutu, a South African archbishop and human rights campaigner, to chair it. The commission gave victims of apartheid the opportunity to confront their aggressors in public. In return for a full confession, the aggressors were pardoned.

In 1995, South Africa hosted the Rugby World Cup. Although the national side, the Springboks, had long been associated with white supremacy, Mandela took the brave decision to keep the Springbok name and its strip and to give the team his full support. As the tournament progressed, whites and non-whites united behind their team and, against the odds, South Africa won in a dramatic final.

Mandela delights the crowds by wearing a Springbok jersey and cap.

On his 80th birthday, in 1998, Mandela married Graça Machel, widow of the former president of Mozambique. Twelve months later, after ruling his country for five historic, peaceful years, Mandela stood down as president. He became South Africa's highest profile ambassador, set up three charities and continued to campaign for justice.

Mandela bowed out of public life in 2004 and spent much of his retirement in his home village of Qunu. He died peacefully on December 5, 2013, at the age of 95. Tributes poured in from across the globe to a truly extraordinary man. His courage and persistence changed the history of his country and his story is an inspiration to us all.

Mandela and Graça Machel smile to the cameras at Heathrow Airport, July 8, 1997.

Timeline

1918 - Nelson Mandela was born on July 18 in Mvezo, South Africa.

1919 - Mandela's father loses his title and fortune. Mandela moves to Qunu.

1927 - Mandela's father dies. Chief Jongintaba becomes Mandela's guardian at the Great Place.

1934 - Mandela starts boarding school.

1939 - Mandela starts at Fort Hare.

1941 - Mandela flees to Johannesburg. He finishes his degree and works in a law firm.

1943 - Mandela joins the ANC.

1944 - Mandela marries Evelyn Mase.

1948 - The Nationalist Party comes to power and introduces apartheid.

1952 - Mandela and Oliver Tambo open the first black law firm in South Africa.

1956 - The treason trial begins.

1957 - Marriage to Evelyn ends.

1958 - Mandela marries Winnie.

1960 - Sharpeville massacre. State of Emergency is declared. ANC is banned.

1961 - The treason trial ends and all charges are dropped. Mandela goes underground and forms the MK.

1962 - Mandela attends a conference in Ethiopia. He visits other countries to rally support.

1964 - Mandela is captured and convicted of sabotage and treason. He is sentenced to life imprisonment and sent to Robben Island.

1982 - Mandela is transferred to Pollsmoor Prison in Cape Town.

1990 - President F.W. de Klerk lifts bans on the ANC and Communists. Mandela is released from prison.

1993 - Mandela and Winnie divorce. De Klerk and Mandela win Nobel Peace Prize.

1994 - South Africa holds its first national election where blacks can vote. Mandela is elected as president.

1995 - South Africa hosts and wins the Rugby World Cup.

1998 - Mandela marries Graça Machel.

1999 - Mandela stands down as president.

2004 - Mandela announces his retirement from public life.

2013 - Mandela dies, aged 95.

Index